Die schönsten Panoramen der Schweiz
Les plus beaux panoramas de Suisse
The most beautiful panoramas of Switzerland

Fotos Rolf Krebs

Die schönsten Panoramen der Schweiz
Les plus beaux panoramas de Suisse
The most beautiful panoramas of Switzerland

Vorwort
Avant-propos
Foreword

Die Vielfalt der Schweiz kommt in mancherlei Beziehung zum Ausdruck. Im 12. Jahrhundert als Interessengemeinschaft der Innerschweizer Kantone gegründet und im Laufe von Jahrhunderten gewachsen, umfasst sie vier Sprachgebiete (deutsch, französisch, italienisch, romanisch) mit unterschiedlichen Kulturen und Volkscharakteren, welche alle die regionale Eigenständigkeit bewahren konnten.

Am sichtbarsten jedoch findet die schweizerische Vielfalt ihren Ausdruck in der Landschaft. Auf relativ engem Raum (wenig mehr als 40 000 km²) drängen sich mediterrane und hochalpine Regionen, See- und Flusslandschaften, mittelalterliche Stadtbilder und moderne Industriegebiete. Zwischen den Jurahöhen und den Schneegipfeln der Alpen dehnen sich fruchtbares Flachland, dichtbewaldete Hügel und weite Siedlungsgebiete. Die Alpen ermöglichen nur wenige Übergänge in die italienischsprachigen Teile unseres Landes, wo Klima und Vegetation südländischen Charakter haben.

Ungezählt aber sind die Ausblicke über weite Teile des Landes. Unzählbar sind die Rundblicke von atemberaubender Schönheit, die Panoramen, welche jeden Betrachter ergreifen und begeistern. In solcher Begeisterung vor einem überwältigenden Panorama mag wohl auch die menschliche Freude zum Ausdruck kommen an der Distanz zum Alltag mit seinen Sorgen und Nöten. Diese Distanz ermöglicht es, Wichtiges von Unwichtigem zu scheiden und sich auf Wesentliches zu beschränken. Das Panorama gewährt Rundblick und Ausblick, und es lässt Herz und Seele weit werden.

Möge der Betrachter dieses Buches, in welchem der Fotograf Rolf Krebs die schönsten Aufnahmen vereinigt hat, sich anregen lassen zu einer Panoramareise durch die vielfältigen Gegenden der Schweiz.

La diversité de la Suisse ressort sous bien des angles. Au XIIᵉ siècle, elle est à l'origine une communauté d'intérêts, puis s'élargit au cours des siècles et réunit quatre régions linguistiques (allemand, français, italien, romanche) aux cultures et caractères différents et qui, malgré les liens politiques qui les réunissent, conservent leur indépendance régionale.

La diversité suisse s'exprime toutefois avec le plus d'intensité dans son paysage. Sur une surface relativement restreinte (un peu plus de 40 000 km²) se trouvent réunies des régions méditerranéennes et hautes-alpines, des paysages lacustres et fluviaux, des villes médiévales et des régions industrielles. Entre les «montagnes bleues» du Jura et les sommets enneigés des Alpes s'étendent des plaines fertiles, des collines boisées et des régions urbaines. Les Alpes, sillonnées de mille vallées, n'autorisent qu'en peu d'endroits l'accès à la région sud de notre pays, le Tessin notamment, où le climat et la végétation offrent un caractère méridional.

Mais les vues sur des régions étendues du pays ne sont pas répertoriées et les panoramas dont la beauté coupe le souffle et euphorise, sont incalculables. Quel degré d'enthousiasme la joie humaine peut-elle atteindre devant un panorama grandiose, loin de la routine quotidienne, de ses tracas et ses misères. Cet éloignement permet de séparer l'important du moins important et de se concentrer sur l'essentiel. A la vue de ce panorama imprenable, le cœur et l'âme s'épanouissent.

Que l'heureux possesseur de cet ouvrage dans lequel le photographe R. Krebs a réuni ses plus belles prises de vue, soit enthousiasmé et amené à faire un voyage panoramique à travers la Suisse.

Switzerland's variety finds its expression in many ways. It was founded in the 12th century as a community of interests by the Cantons of Inner Switzerland and over the centuries it has grown, combining four linguistic areas (German, French, Italian, Romansch) with different cultures and temperaments. Yet, despite their constitutional unity, they have been able to retain their regional independence.

However, the most visible expression of Switzerland's variety is in its landscape. One finds Mediterranean and Upper Alpine regions, lake and river landscapes, medieval townscapes and modern industrial regions squeezed together on a relatively small area (a little over 40 000 sq km). Between the "blue mountains" of the Jura range and the snow-capped peaks of the Alps there are fertile plains, thickly-wooded hills and extensive built-up areas. The Alps with their thousands of furrow-like valleys offer few possibilities for passages to the southern parts of our country, to the Ticino, where the climate and vegetation have a southern character.

However, the views over extensive stretches of country are innumerable, as are the breath-taking panoramas which entrance and thrill all those who behold them. This delight at a magnificent panorama may well express our joy at the distance it creates to everyday cares and worries. This distance makes it possible to distinguish what is really important and to confine oneself to essentials. The panorama gives us an all-round view as well as the relieving possibility of opening up our hearts and emotions.

This book is a collection of the most brilliant photographs by R. Krebs, and we hope that its readers will be filled with enthusiasm and inspired to go on a panoramic trip through Switzerland's varied regions.

Das Emmental (Moosegg) mit den Berner Alpen

Das Emmental ist landschaftlich eine der vielgestaltigsten Regionen der Schweiz und bietet eine Fülle prachtvoller Wandermöglichkeiten über einsame Höhen und durch heimelige Täler. Die charakteristischen Berner Bauernhäuser vereinigen Wohnung, Stall und Scheune unter einem grossen Dach. An steilen Hängen und in engen Gräben findet man weitgestreute Einzelhöfe. Wo die Hügel breit werden, dehnen sich Wiesen, Äcker und Wälder, und in den Tälern finden sich auch bedeutende Ortschaften wie Langnau, Lützelflüh, Sumiswald, Burgdorf und Huttwil. Der weltberühmte Emmentalerkäse, der früher in den Alpkäsereien hergestellt wurde, entsteht heute in Dorfkäsereien.

L'Emmental (Moosegg) avec les Alpes bernoises

Le paysage de l'Emmental est un des plus diversifiés de Suisse et offre d'innombrables possibilités de promenades attrayantes sur des hauteurs isolées et par des vallées tranquilles. Les fermes typiques réunissent logement, étable et grange sous un même toit. Sur les pentes abruptes ou dans les vallons étroits, on trouve des fermes isolées. Là où les collines sont plus étendues, il y a des prairies, des champs, des forêts et, dans les vallées, des localités importantes telles que Langnau, Lützelflüh, Sumiswald, Berthoud et Huttwil. Le fromage d'Emmental devenu mondialement connu, est fabriqué dans les fromageries locales.

The Emmental (Moosegg) with the Bernese Alps

From the point of view of landscape, the Emmental is one of the most varied regions in Switzerland, and it offers a wide range of rewarding possibilities for long walks over lonely heights and through quiet valleys. The typical farm houses combine dwelling, cowshed, stable and barn under one big roof. Many widely-scattered individual farms are found on the steep slopes and in the narrow rift valleys. In places where the hills spread out, there are meadows, fields and woods, and important towns such as Langnau, Lützelflüh, Sumiswald, Burgdorf and Huttwil are situated in the valleys. The world-famous Emmental cheese, which was formerly made in dairies up on the alps, is now made in the village dairies.

Grosse Scheidegg mit Eigernordwand BE

1961 m ü.M. Die Passhöhe liegt über der Waldgrenze, zwischen dem Schwarzhorn (2928 m) und dem Wetterhorn (3701 m). Sie ist zu Fuss erreichbar von Grindelwald oder von der Bergstation der Luftseilbahn First. Sehr schöne Wanderung von Grindelwald über die Grosse Scheidegg nach Meiringen im Haslital.

Grande Scheidegg avec paroi nord de l'Eiger

A 1961 m d'altitude. Le col est au-dessus de la limite boisée, entre le Schwarzhorn (2928 m) et le Wetterhorn (3701 m). Accessible à pied par Grindelwald ou par le funiculaire First. De très belles promenades, de Grindelwald, par la Grande Scheidegg, vers Meiringen (Haslital).

The Grosse Scheidegg with the Eiger North Wall

Alt. 1961 m. The pass top lies above the tree-line, between Schwarzhorn (2928 m) and Wetterhorn (3701 m). Accessible on foot from Grindelwald or from upper station of First cable car railway. Superb walk from Grindelwald via the Grosse Scheidegg to Meiringen (Haslital).

Männlichen, Eiger, Mönch und Jungfrau BE

2343 m ü.M. Im Vordergrund der Tschuggen und das Lauberhorn. Erreichbar mit der Jungfraubahn WAB von Lauterbrunnen über Wengen oder von Grindelwald zur Kleinen Scheidegg, Eigergletscher, Jungfraujoch. Eines der schönsten Ski- und Wandergebiete des Berner Oberlandes.

Männlichen, Eiger, Mönch et Jungfrau

A 2343 m d'altitude. Au premier plan, le Tschuggen et le Lauberhorn. Accessible avec le funiculaire de la Jungfrau WAB par Lauterbrunnen via Wengen ou par Grindelwald via la Petite Scheidegg, glacier de l'Eiger, Jungfraujoch. L'un des plus beaux coins de l'Oberland bernois.

Männlichen, Eiger, Mönch and Jungfrau

Alt. 2343 m. In the foreground the Tschuggen and the Lauberhorn. Accessible with the Jungfrau Railway WAB from Lauterbrunnen via Wengen or from Grindelwald to the Kleine Scheidegg, Eigergletscher, Jungfraujoch. One of the most attractive skiing and walking areas in the Bernese Oberland.

Seeland FR/BE

Rund 450 m ü.M. Zwischen Neuenburger-, Bieler- und Murtensee gelegene, sehr fruchtbare Ebene mit den grössten Gemüsekulturen der Schweiz. Malerische mittelalterliche Kleinstädte. Ideales Gebiet für Radwanderer. An den Seen zahlreiche Möglichkeiten für Wassersport.

Seeland

A env. 450 m d'alt. Située entre les lacs de Neuchâtel, Bienne et Morat, plaine très fertile avec les plus grandes cultures maraîchères de Suisse. Localités médiévales pittoresques. Région idéale pour le randonneur cycliste. Sur les lacs, nombreuses possibilités de sports nautiques.

Seeland

Approx. 450 m above sea level. A very fertile plain situated between the lakes of Neuchâtel, Biel and Murten: Switzerland's largest vegetable-growing area. Picturesque little medieval towns. Ideal area for cycling tours. Many possibilities for aquatic sports on the lakes.

Lac de Joux im Waadtländer Jura VD

1005 m ü.M. Von Genf und Lausanne über Vallorbe erreichbar. In einem der schönsten Juratäler gelegen. Unberührte Landschaft mit gesundem Klima. Der See besitzt keinen oberirdischen Abfluss. Wanderwege, einfache Skiabfahrten, Langlaufloipen, markierte Strecken für Skitouren.

Lac de Joux dans le Jura vaudois

A 1005 m d'alt. Accessible de Genève et de Lausanne via Vallorbe. Dans l'une des plus belles vallées jurassiennes. Paysage intact et air vivifiant. Le lac n'a pas d'écoulement en surface. Chemins pédestres, descentes de ski faciles, pistes pour fondeurs, trajets balisés pour tours à ski.

Lake of Joux in the Jura Mountains of Canton Vaud

Alt. 1005 m. Accessible from Geneva and Lausanne via Vallorbe. Situated in one of the most beautiful valleys in the Jura Mountains. Unspoilt landscape with healthy climate. The lake has no surface outlet. Walking trails, simple ski runs, cross-country skiing trails, marked ski-tour routes.

St-Imier BE

793 m ü.M. Im St.-Immer-Tal, zwischen Mont-Soleil und Chasseral an der Bahnlinie Biel–La Chaux-de-Fonds gelegen. St.-Martins-Turm aus dem 10. Jahrhundert. Seilbahn auf den Mont-Soleil (1291 m). Uhrenindustrie. Wandern, Fischen, Segelfliegen, Wintersportmöglichkeiten.

St-Imier

A 793 m d'alt. Dans le vallon de St-Imier, entre le Mont-Soleil et le Chasseral sur la ligne ferroviaire Bienne–La Chaux-de-Fonds. La Tour St-Martin du Xᵉ siècle. Funiculaire au Mont-Soleil (1291 m). Industrie horlogère. Promenades, pêche, vélideltisme; en hiver : ski et patinage.

St. Imier

Alt. 793 m. In the Valley of St. Imier, between the Mt. Soleil and the Chasseral on railway line between Biel and La Chaux-de-Fonds. St. Martin's Tower (10th century). Cable-car up Mt. Soleil (1291 m). Watch industry. Hiking, fishing, gliding, winter-sport possibilities.

Murtensee mit Murten und Mont Vully FR

Wasserspiegel 429 m ü.M. Zwischen Bern und Lausanne gelegen. Vom Mont Vully am nördlichen Seeufer sehr schöne Aussicht über das Seeland und bis zu den Alpen. Wanderwege rund um den See und nach Avenches (römische Siedlung). Murten: sehr gut erhaltenes mittelalterliches Städtchen.

Lac de Morat avec Morat et Mont Vully

Niveau d'eau 429 m au-dessus du niveau de la mer. Situé entre Berne et Lausanne. Depuis le Mont Vully, sur la rive nord, très belle vue sur le Seeland et jusqu'aux Alpes. Chemins pédestres tout autour du lac et vers Avenches (cité romaine). Morat: petite ville médiévale très bien conservée.

Lake of Murten with Murten and Mt. Vully

Water level 429 m above sea level. Between Berne and Lausanne. Beautiful view from Mt. Vully (north shore of the lake) over the Seeland and as far as the Alps. Hiking trails right round the lake and to Avenches (Roman settlement). Murten: very well-preserved small medieval town.

Neuenburg, die Jurahöhen NE

433 m ü. M. 34 500 Einwohner. Seespiegel 429 m ü. M. Am linken Seeufer und am Fusse des Chaumont (1170 m) gelegen. Stiftskirche und Schloss aus dem 12. und 13. Jahrhundert. Reizvolle Spaziergänge zwischen Weinbergen, Feldern und Wäldern. Wassersport. Drahtseilbahn auf den Chaumont. Dreiseenrundfahrt.

Neuchâtel et les hauteurs jurassiennes

A 433 m d'alt. 34 500 habitants. Niveau du lac 429 m. Située sur la rive nord, au pied du Chaumont (1170 m). Eglise abbatiale et château des XIIᵉ et XIIIᵉ siècles. Charmantes promenades par les vignobles, champs et forêts. Pêche et sports nautiques. Circuit en bateau sur les trois lacs.

Neuchâtel with the Jura Mountains

Alt. 433 m. Pop. 34,500. Water level 429 a. s. l. On the left shore of the lake beneath the Chaumont (1170 m). Collegiate church and castle (12th and 13th centuries). Charming walks through vineyards, fields and woods. Fishing, aquatic sports. Cable car up Chaumont. Boat trip round the three lakes.

Erlach, St. Petersinsel BE

433 m ü. M. Am oberen Ende des Bielersees. Schloss um 1100 erbaut, Ausbau als Landvogteisitz um 1500. Kirche mit wertvollen Wandmalereien. Ausgangspunkt für die Wanderung über den Heidenweg auf die St. Petersinsel (altes Kloster, heute Hotel. J.-J.-Rousseau-Zimmer). Vielseitige Landwirtschaft: Obst- und Rebbau.

Erlach, Ile St-Pierre

A 433 m d'alt. A l'extrémité supérieure du lac de Bienne. Petite ville médiévale. Château construit vers 1100 et siège du bailli vers 1500. Eglise avec fresques. Point de départ de la promenade par le Heidenweg vers l'Ile St-Pierre (cloître transformé en hôtel, chambre de J.-J. Rousseau). Arbres fruitiers et vignes.

Erlach, St. Peter's Island

Alt. 433 m. At the upper end of the Lake of Biel. Castle built around 1100. Extension around 1500 as bailiff's residence. Church with valuable mural paintings. Starting point for walk over the 'Heathen's Path' to St. Peter's Island (former monastery, now hotel. J.-J. Rousseau room).

Le Landeron mit dem Chasseral NE

440 m ü. M. Wie Erlach am oberen Ende des Bielersees gelegen, zwischen dem Jura und dem Jolimont an der Bahnlinie Biel–Neuenburg. Baubeginn der Festung 1325. Die Kapelle ist besonders sehenswert. Jeden Herbst berühmter Trödlermarkt. Segelhafen, Schwimmbad, Tennisplätze, Wandermöglichkeiten.

Le Landeron avec le Chasseral

A 440 m d'alt. Situé à l'extrémité supérieure du lac de Bienne, entre le Jura et le Jolimont, sur la ligne ferroviaire Bienne–Neuchâtel. La forteresse date de 1325. La chapelle vaut la visite. Chaque automne, marché aux puces. Port, piscine, terrains de tennis, promenades.

Le Landeron with the Chasseral

Alt. 440 m. Situated at upper end of Lake of Biel, between the Jura and the Jolimont, on Biel–Neuchâtel railway line. Construction work on fort begun 1325. The chapel is worth visiting. Every autumn, famous second-hand market. Yacht harbour, swimming pool, tennis, walking.

Ligerz, ein Winzerdorf am Bielersee BE

435 m ü. M. Am Südfuss der vordersten Jurakette, gegenüber der Petersinsel gelegen. Baubeginn der Kirche 1482. Weinbaumuseum; Wanderwege durch die Rebberge zu allen Weinbauorten des linken Seeufers. Drahtseilbahn auf den Tessenberg. Empfehlenswert ist der Besuch der Twannbachschlucht.

Ligerz, village de vignerons au bord du lac de Bienne

A 435 m d'alt. Au pied de la première chaîne du Jura, en face de l'Ile St-Pierre. Eglise du XVᵉ siècle. Musée vinicole; promenades par les vignobles en traversant les villages vinicoles de la rive gauche. Funiculaire au Tessenberg. La visite de la gorge du Twannbach est recommandée.

Ligerz: a wine-growing village on the Lake of Biel

Alt. 435 m. At south foot of the foremost Jura chain, opposite St. Peter's Island. Construction of church begun 1482. Wine-growing museum; footpaths through vineyards to all wine-producing villages on left shore of the lake. Cable-car up the Tessenberg. A visit to Twannbach Gorge is recommended.

Biel am Jurasüdfuss BE

437 m ü. M. Rund 60 000 Einwohner. Am unteren, nordöstlichen See-Ende gelegen. Zweisprachige moderne Industriestadt mit malerischem altem Stadtkern. Drahtseilbahn nach Magglingen (Eidg. Turn- und Sportschule): sehr schöner Aussichtspunkt. Dreiseenrundfahrt mit modernen Schiffen.

Bienne, au pied du Jura

A 437 m. d'alt. Environ 60 000 habitants. Située à l'extrémité nord-est du lac. Ville industrielle bilingue avec pittoresque quartier ancien. Funiculaire pour Macolin (Ecole fédérale de gymnastique et de sport): très beau panorama. Circuit sur les trois lacs avec bateaux modernes.

Biel at the South Foot of the Jura Mountains

Alt. 437 m. Approx. pop. 60,000. At lower, north-east end of the lake. Bilingual, modern industrial town with picturesque old centre. Cable-car railway to Magglingen (Swiss School for Physical Education and Sports): excellent vantage point. Tours of the three lakes on modern boats.

Solothurn, die Aarestadt am Jurafuss SO

432 m ü. M. An der Bahnlinie Biel–Olten gelegen. Die St.-Ursen-Kirche ist eine der schönsten Barockkirchen der Schweiz. Rathaus aus dem 15. Jahrhundert. Ausflugsmöglichkeiten auf den Weissenstein (1291 m) mit Aussicht auf Mittelland und Alpen, in die Einsiedelei St. Verena, Aareschiffahrt.

Soleure, la ville sur l'Aar, au pied du Jura

A 432 m d'alt. Sur la ligne ferroviaire Bienne–Olten. La cathédrale St-Ours, un des plus beaux édifices baroques. Hôtel de ville du XVᵉ siècle. Excursion sur le Weissenstein (1291 m) avec panorama sur le Plateau et les Alpes, l'ermitage Ste-Vérène, promenade en bateau sur l'Aar.

Solothurn, the Town on the River Aare at the Foot of the Jura Mountains. Alt. 432 m. On the Biel–Olten railway line. St. Ursen Church: one of Switzerland's most beautiful baroque churches. Town Hall: 15th century. Excursions to the Weissenstein (1291 m) with view over the central plain and the Alps, St. Verena hermitage, boat trip on the River Aare.

Thunersee, Spiez und Stockhornkette BE
Wasserspiegel 558 m ü. M. In den Thunersee fliessen alle Gewässer des Berner Oberlandes. Segel-, Wasserski- und Windsurfing-Schulen. Zahlreiche Wanderwege, Strand- und Hallenbäder, Tropfsteingrotten (Beatushöhlen), Bergbahnen. Alte Kirchen, Schlösser mit historischen Museen. Seerundfahrten.

Lac de Thoune, Spiez et la chaîne du Stockhorn
A 558 m d'alt. Les cours d'eau de l'Oberland bernois se jettent dans le lac de Thoune. Ecole de voile, de ski nautique et surfing. Chemins de promenade, piscines au bord du lac et couvertes. Grottes de St-Béat, funiculaires. Vieilles églises. Châteaux avec musées. Circuit en bateaux.

Lake of Thun, Spiez and the Stockhorn Range
Water level 558 m a.s.l. All rivers of the Bernese Oberland flow into the Lake of Thun. Sailing, water-skiing and wind-surfing schools. Numerous walking trails, open-air and indoor swimming-pools, stalactite grottos (Beatus Caves), mountain railways. Old churches, castles with museums. Boat tours.

Brienzersee mit der Niesenkette BE
Wasserspiegel 564 m ü. M. Zwischen Interlaken und Meiringen, an der Route Brünig–Grimsel–Susten gelegen. Dampf-Zahnradbahn zum Brienzer Rothorn (2350 m). Brienz: Zentrum der Holzschnitzerei; typische Holzhäuser. Campingplätze am See. Ballenberg: Freilichtmuseum für ländliche Bau- und Wohnkultur.

Lac de Brienz avec la chaîne du Niesen
A 564 m. d'alt. Entre Interlaken et Meiringen, sur la route Brünig–Grimsel–Susten. Crémaillère à vapeur sur le Brienzer Rothorn (2350 m). Brienz: école de sculpture sur bois; chalets typiques. Camping sur le bord du lac. Ballenberg: musée en plein air de l'habitat rural.

Lake of Brienz with the Niesen Range
Water level 564 m a.s.l. Between Interlaken and Meiringen on the road to Brünig–Grimsel–Susten. Steam-driven ratchet railway up to Brienzer Rothorn (2350 m). Brienz: wood-carving centre; typical wooden houses. Camping sites beside the lake. Ballenberg: open-air museum for rural dwellings and life-styles.

Das Simmental bei Oberwil mit Blick gegen den Jaunpass BE
Rund 840 m ü. M. Erreichbar von Thun über Spiez mit Auto oder Zug. Ideales Wander-, Touren- und Skigebiet. Besonders empfehlenswert: Fahrt mit den modernen Aussichtswagen der MOB (Montreux–Oberland-Bahn) ab Zweisimmen über Schönried, Saanen/Gstaad, Château-d'Oex nach Montreux am Genfersee.

Le Simmental à Oberwil avec vue sur le col de Jaun
A 840 m. d'alt. Accès par Thoune via Spiez en auto ou par le train. Région idéale de promenades, excursions et ski. Un voyage dans les wagons modernes du MOB (Montreux–Oberland Bernois) à partir de Zweisimmen, par Schönried, Gstaad, Château-d'Oex vers Montreux sur le lac Léman est recommandé.

The Simmental near Oberwil looking towards the Jaun Pass
Approx. alt. 840 m. Accessible from Thun via Spiez by car or train. Ideal hiking, mountaineering and ski area. A trip in the modern panoramic carriage of the MOB (Montreux–Oberland Railway) from Zweisimmen, via Schönried, Saanen/Gstaad, Château-d'Oex to Montreux on Lake Geneva is well worth while.

Gurnigel mit dem Gantrisch (2176 m) BE
Rund 1600 m ü. M. Erreichbar von Bern mit Auto oder Postauto. Voralpine Hügel-, Wald- und Weidelandschaft. Mehrere Thermalbäder. Geeignet zum Wandern (über 200 km markierte Wanderwege), Fischen, Klettern und Skifahren. Empfehlenswerte Wanderung über den Leiternpass (1907 m) nach Erlenbach.

Gurnigel avec le Gantrisch (2176 m)
A env. 1600 m d'alt. Accès par Berne en auto ou autobus. Paysage préalpin de collines, forêts et prairies. Plusieurs bains thermaux. Recommandé pour promenades (200 km de chemins balisés), pêche, alpinisme et ski. Promenade conseillée par le col de Leitern (1907 m) vers Erlenbach.

Gurnigel with the Gantrisch (2176 m)
Approx. alt. 1600 m. Accessible from Berne by car or post bus. Pre-alpine hill, forest and meadow landscape. Several thermal spas. Suitable for walking (more than 200 km of marked walking trails), fishing, climbing and skiing. Recommended walk: via the Leitern Pass (1907 m) to Erlenbach.

Bern, Blick über die Altstadt BE
540 m ü. M. 145000 Einwohner. Schweizerische Bundesstadt. Gründung: 1191. Elf historische Brunnen inmitten der Hauptgassen, 6 km Arkaden (Lauben). Zeitglocken mit astronomischer Uhr und Figurenspiel (1530), Bärengraben, Münster (1421). Gurten: Aussichtsberg auf die Stadt, ihre Umgebung und die Alpen.

Berne, vue panoramique sur la vieille ville
A 540 m d'alt. 145000 habitants. Siège des autorités fédérales helvétiques. Fondée en 1191. Onze fontaines dans l'artère principale, 6 km d'arcades. Tour de l'Horloge, cadran et jeu de personnages (1530), fosse aux ours, cathédrale (1421), Hôtel de ville (XVe siècle). Gurten: panorama.

Berne, View over the Old City
Alt. 540 m. Pop. 145,000. Federal capital of Switzerland. Founded in 1191. Eleven historic fountains in middle of the main streets, 6 km of arcades. Zeitglocken: astronomical clock and figure-play (1530), Bear Pit, Cathedral (1421), Town Hall (15th century). The Gurten: panorama.

Aarburg mit Festung und Kirche AG
395 m ü. M. Unweit des Strassen- und Eisenbahnkreuzes Basel-Luzern/Bern–Zürich, am Jurasüdfuss gelegen. Die Festung dient heute als Erziehungsheim für Jugendliche. Rathaus, Heimatmuseum (1750: Berner Barock). Ausgangspunkt für Jurawanderungen und Ausflüge ins aargauische Mittelland.

Aarburg avec forteresse et église
A 395 m d'alt. A proximité des autoroutes et voies ferroviaires Bâle–Lucerne/Berne–Zurich au pied du Jura. La forteresse sert aujourd'hui de centre d'éducation pour adolescents. Mairie, musée (baroque bernois: 1750). Point de départ d'excursions dans le Jura et dans le Plateau argovien.

Aarburg with its Fortress and Church
Alt. 395 m. Near road and railway junction Basle-Lucerne/Berne–Zurich, at south foot of the Jura range. Fortress now used as a juvenile reformatory. Town Hall, museum (1750: Bernese baroque style). Starting point for walks in the Jura and excursions to the central plain of Canton Aargau.

Baden an der Limmat   AG

388 m ü. M. Führender Badekurort der Schweiz mit 19 Thermalquellen. 16 Bahnminuten von Zürich, 25 Min. vom Flughafen Kloten. Malerische Altstadt mit historischen Wehr- und Bürgerbauten. Kloster Wettingen mit prachtvoller Kirche (Kreuzgang), ausgedehnte Limmatpromenaden, Kurpark mit altem Baumbestand.

Baden sur la Limmat

A 388 m d'alt. Centre thermal réputé (19 sources). A 16 minutes de Zurich par le train et 25 de l'aéroport de Kloten. Vieille ville avec remparts et maisons bourgeoises historiques. A Wettingen, abbaye avec belle église (cloître), promenades le long de la Limmat (4 km), parc avec arbres séculaires.

Baden on the River Limmat

Alt. 388 m. Leading Swiss spa with 19 thermal springs. 16 minutes by train from Zurich. Picturesque old town with historical military and civilian buildings. Wettingen Monastery with magnificent church (cloister), extensive promenades along the Limmat (4 km), spa park with old trees.

Zug mit Zugerberg   ZG

440 m ü. M. 22 000 Einwohner. Gegründet um 1240. An der Bahnlinie Zürich-Gotthard und Zürich-Luzern gelegen. Ursprünglich ein Fischerort, heute Industriestadt (Metallwaren, Maschinen, Haushaltgeräte). Grösster Viehmarkt der Schweiz. Wassersport- und Wandermöglichkeiten.

Zoug avec le Zugerberg

A 440 m d'alt. 22 000 habitants. Fondée en 1240. Située sur les lignes ferroviaires Zurich-St-Gothard et Zurich-Lucerne. A l'origine, ville de pêcheurs, aujourd'hui industrielle (métaux, machines, appareils ménagers). La plus grande foire de bétail de Suisse. Nautisme et promenades.

Zug with the Zugerberg

Alt. 440 m. Pop. 22,000. Founded around 1240. On the Zurich-Gotthard and Zurich-Lucerne railway lines. Originally a fishing town, now an industrial centre (metal goods, machinery, household appliances). Switzerland's largest cattle-market. Aquatic sports and opportunities for walking.

Luzern, Kapellbrücke (1333)   LU

440 m ü. M. 63 300 Einwohner. An der Autobahn Basel-Gotthard gelegen. Rathaus (Renaissancebau), Gletschergarten, Löwendenkmal. Empfehlenswert sind der Besuch des Verkehrshauses der Schweiz, eine Raddampferfahrt auf dem Vierwaldstättersee, Ausflüge auf den Pilatus und den Rigi. Musikfestwochen.

Lucerne, Kapellbrücke

A 440 m d'alt. 63 300 habitants. Située sur l'autoroute Bâle-St-Gothard. Hôtel de ville Renaissance. Jardin des Glaciers. Monument du lion. Musée suisse des Transports, promenade en bateau sur le lac des Quatre-Cantons, sur le Pilate (2132 m) et le Rigi (1438 m). Semaines musicales.

Lucerne, Kapellbrücke (Chapel Bridge) (1333)

Alt. 440 m. Pop. 63,300. Situated on the Basle-Gotthard motorway. Town Hall (Renaissance building), Glacier Gardens, Lion Monument. Recommended: a visit to the Swiss Transports Museum, a paddle-steamer trip on the Lake of Lucerne, excursions to the Pilatus (2132 m) and the Rigi (1438 m). Music festival weeks.

Urnersee, von Sisikon aus   UR

Seespiegel: 434 m ü. M. Links Tellskapelle, rechts das Rütli, die Geburtsstätte der Eidgenossenschaft. Im Hintergrund der Urirotstock (2928 m). – Am oberen Seeende: Altdorf (Tell-Museum und Tellspiele), Flüelen und Seedorf (barocke Klosterkirche). Vielfältige Freizeitmöglichkeiten.

Lac d'Uri vu de Sisikon

A 434 m au-dessus du niveau de la mer. A gauche la Chapelle de Tell, à droite le Grutli, lieu de naissance de la Confédération. A l'arrière-plan, l'Urirotstock (2928 m). A l'extrémité supérieure du lac: Altdorf (Musée et jeux de Tell), Flüelen et Seedorf (église abbatiale baroque).

Urnersee, seen from Sisikon

Water level: 434 m a.s.l. Left: Tell's Chapel, right: the Rütli, the birth-place of the Swiss Confederation. In the background, the Urirotstock (2928 m). At the upper end of the lake: Altdorf (Tell Museum and Tell Plays), Flüelen and Seedorf (baroque monastery church). Leisure possibilities.

Walensee   GL/SG

Seespiegel: 419 m ü. M. An der Bahnlinie und Autostrasse Zürich-Chur gelegen. Fjordähnlicher See; an dessen rechtem Ufer: Churfirsten (bis 2300 m hoch). Walenstadt: Ausgangspunkt vieler Strand- und Wanderwege. Ausflüge in die Flumserberge (Wintersport) und nach Liechtenstein. Schöne Campingplätze.

Lac de Walenstadt

A 419 m au-dessus du niveau de la mer. Situé sur la ligne ferroviaire et l'autoroute Zurich-Coire. Lac rappelant les fjords; sur la rive droite, les Churfirsten. Walenstadt: point de départ de promenades. Excursions aux Flumserberge (sports d'hiver) et au Liechtenstein. De beaux campings.

Walensee

Water level: 419 m a.s.l. Situated on the Zurich-Chur railway line and motorway. Fjord-like lake; on right bank: Churfirsten range. Walenstadt: starting point for many lake-side and walking trails. Excursions to the Flumser Mountains (winter sports) and Liechtenstein. Camping grounds.

Rapperswil am Zürichsee   SG

408 m ü. M. 8000 Einwohner. Gegründet um 1200. Von Zürich mit Bahn oder Auto erreichbar. Am Seedamm nach Pfäffikon (linkes Seeufer) gelegen. Mittelalterlicher Stadtkern mit Schloss. Knies Kinderzoo. Ausflüge auf die Inseln Lützelau und Ufenau (Ulrich v. Hutten). Schiffskurse nach Zürich. Kulturzentrum.

Rapperswil sur la rive nord du lac de Zurich

A 408 m d'alt. 8000 habitants. Fondée vers 1200. Accessible par le train ou en auto de Zurich. Reliée à Pfäffikon par un pont. Centre ville au caractère moyenâgeux avec château. Zoo Knie pour les enfants. Excursions sur les îles Lützelau et Ufenau (Ulrich v. Hutten). Bateaux réguliers pour Zurich. Centre culturel.

Rapperswil on Lake of Zurich

Alt. 408 m. Pop. 8000. Founded around 1200. Accessible by train or car from Zurich. Near the end of the lake embankment on the right lake side. Medieval town centre with castle. Knie's Childrens' Zoo. Excursions to the islands Lützelau and Ufenau (Ulrich v. Hutten). Regular boat services to Zurich. Cultural centre.

Säntis mit Blick ins obere Rheintal

Der Gipfel bietet dank seiner günstigen Lage am Alpenrand einen einzigartigen Rundblick. Er ist von Appenzell, von Urnäsch und vom Toggenburg her mit der Bahn und dem Postauto leicht zugänglich. Von der Schwägalp führt eine Luftseilbahn zum Berghaus. Mehrere kleine Bergseen verleihen der Landschaft einen zusätzlichen Reiz.

Der Säntis überragt das Appenzeller- und Toggenburgerland mit seinen heimeligen Dörfern und den charakteristischen, bunt bemalten Häusern. In der einheimischen Bevölkerung ist ein traditionsreiches Brauchtum verwurzelt.

Le Säntis, vue sur la vallée du Rhin

Le sommet, par sa situation avancée à la limite des Alpes, offre un panorama unique. Il appartient au massif de l'Alpstein et est facilement accessible d'Appenzell, d'Urnäsch et du Toggenbourg en train et en autobus. Un téléphérique conduit à l'auberge du sommet où se trouve une station météorologique. Des lacs offrent un atout supplémentaire à ce paysage pré-alpin.

Le Säntis surplombe l'Appenzell et le Toggenbourg aux villages chaleureux et aux maisons peintes très caractéristiques. Des coutumes ancestrales sont encore entretenues par la population indigène.

Säntis looking towards the Upper Rhine Valley

Thanks to its position on the edge of the Alps, this peak offers a unique panorama. It is part of the Alpstein range and is easily accessible from Appenzell, Urnäsch and Toggenburg by train and post bus. An aerial cableway goes from Schwägalp to the mountain summit where there is also a Swiss meteorological station. Several mountain lakes enhance the charm of the pre-alpine landscape.

The Säntis towers above Appenzell and Toggenburg with their homy villages and typical artistically-painted houses. Many traditional customs live on amongst the inhabitants of this region.

Zürich ZH
408 m ü.M. 370000 Einwohner. Grösste Stadt und wichtigster Handels- und Finanzplatz der Schweiz. Internationaler Flughafen. Fraumünster (9.–11.Jh.), Grossmünster (11./12.Jh.). Diverse Zunfthäuser aus dem 16., 17. und 18.Jahrhundert. Schweizerisches Landesmuseum, Kunsthaus. Aussichtspunkt: Uetliberg.

Zurich
A 408 m d'alt. 370000 habitants. Première ville de Suisse et la plus importante place de la finance et du commerce. Aéroport international. Fraumünster (IXᵉ–XIᵉ), Grossmünster (XIᵉ–XIIᵉ), maisons des corporations (XVIᵉ–XVIIIᵉ siècles). Musée national suisse, Musée des Beaux-Arts. Vue: Uetliberg (871 m).

Zurich
Alt. 408 m. Pop. 370,000. Switzerland's largest city and most important commercial and financial centre. International airport. Fraumünster Church (9th–11th century), Grossmünster Cathedral (11th/12th century). Guildhalls (16th–18th century). Swiss National Museum, Art Museum. Vantage point: Uetliberg (871 m).

Bodensee, Blick vom Seerücken auf den Untersee TG
Wasserspiegel: 396 m ü.M. Mit Bahn oder Auto erreichbar über St.Gallen, Frauenfeld oder Schaffhausen. Zahlreiche Burgen, Schlösser und Klostergebäude. Besonders empfehlenswert: Insel Reichenau (botanischer Garten), Stein am Rhein. Zwei Autofähren auf die deutsche Seeseite hinüber. Wassersport.

Lac de Constance, vue du Seerücken sur le lac Inférieur
A 396 m au-dessus du niveau de la mer. Accessible en train ou auto par St-Gall, Frauenfeld ou Schaffhouse. Nombreux châteaux et abbayes. Excursions recommandées: île de Reichenau (jardin botanique), Stein am Rhein. Deux ferry-boats assurent le service avec la rive allemande. Sports nautiques.

Lake of Constance, View from the Seerücken on the Lower Lake
Water level: 396 m a.s.l. Accessible via St.Gallen, Frauenfeld or Schaffhausen by road or rail. Numerous forts, castels and monasteries. Particularly to be recommended are: Reichenau Island (botanical gardens), Stein am Rhein. Two car ferries to the German side of the lake. Aquatic sports.

St.Gallen, die Mode- und Kongress-Stadt SG
670 m ü.M. 75000 Einwohner. Direkte Zugs- und Autobahnverbindungen mit dem Flughafen Zürich-Kloten. Handels- und Dienstleistungszentrum der Ostschweiz. Stickerei und Textilfabriken. Zahlreiche historische Altstadtbauten. Schweizerische Handelshochschule. Schweizer Messe für Landwirtschaft OLMA.

St-Gall, centre de la mode et des congrès
A 670 m d'alt. 75000 habitants. Autoroute et trains directs pour l'aéroport de Kloten. Centre commercial et économique de la Suisse orientale. Industries: broderie et textile. Ville ancienne. Ecole des Hautes Etudes économiques et sociales. Foire suisse de l'agriculture OLMA.

St.Gall, Town of Fashion and Congresses
Alt. 670 m. Pop. 75,000. Direct road and rail links with Zurich-Kloten Airport. Commercial and services centre of Eastern Switzerland. Embroidery and textile factories. Many historical buildings in the old town. Swiss graduate School of Economics and Business. Swiss Agricultural Fair (OLMA).

Schaffhausen, Blick auf Altstadt und Munot SH
404 m ü.M. 34000 Einwohner. 1045 erhielt die Stadt das Stadtrecht. Festung Munot: 16.Jahrhundert. «Haus zum Ritter»: Fassadenmalereien. Münster (11.Jh.) mit Schillerglocke. Zahlreiche malerische Erker. Schiffahrt auf dem Rhein nach Stein am Rhein und Diessenhofen bis auf den Bodensee. Weinbau.

Schaffhouse, vue sur la vieille ville et le Munot
A 404 m d'alt. 34000 habitants. En 1045, Schaffhouse reçoit le rang de ville. Forteresse Munot (XVIᵉ s.). Maison du Chevalier: façade peinte. Eglise de Tous-les-Saints du XIᵉ siècle (cloche de Schiller). Excursion sur le Rhin jusqu'au lac de Constance par Stein am Rhein et Diessenhofen. Viticulture.

Schaffhausen, View of the Old Town and Munot Castle
Alt. 404 m. Pop. 34,000. The town was granted a municipal charter in 1045. Munot Castle: 16th century. 'Haus zum Ritter': paintings on the façade. Cathedral (11th century) with Schiller Bell. Boat trips on the Rhine to Stein am Rhein and Diessenhofen as far as Lake Constance. Wine-growing.

Rheinfall SH
3 km von Schaffhausen entfernt. Grösster Wasserfall Europas. Breite: 150 m, Höhe: 23 m. Bei mittlerer Wasserführung 700 m³ Wasser pro Sekunde. Möglichkeit, mit einem Fährboot zum mittleren Felsen oder, am tosenden Wasser vorbei, auf die andere Seite des Falles zu fahren.

Les chutes du Rhin
A 3 km de Schaffhouse. Les plus imposantes chutes d'Europe. Le fleuve est large de 150 m à cet endroit et s'abat de 23 m de haut, débit moyen 700 m³/sec. Des promenades en bateau sont organisées jusqu'au rocher central ou d'une rive à l'autre en passant devant les eaux mugissantes.

The Rhine Falls
3 km from Schaffhausen. Largest waterfalls in Europe. Width: 150 m, height: 23 m. At times of medium water flow 700 cubic meters of water per second. Possibility of taking a ferry-boat trip to the rock in mid-falls or past the thundering water to the other side of the Falls.

Basel, Blick über den Rhein auf das Münster (14.Jh.) BS
273 m ü.M. 240000 Einwohner, zweitgrösste Stadt der Schweiz. Der Rhein verbindet Basel mit der Nordsee. Älteste Universität der Schweiz (gegründet 1460). 23 Museen. Seit 1470 Messestadt (Schweizer Mustermesse). Bedeutende pharmazeutische und chemische Industrie.

Bâle, vue au-delà du Rhin sur la cathédrale (XIVᵉ s.)
A 273 m d'alt. 240000 habitants, deuxième ville de Suisse. Le Rhin relie Bâle à la mer du Nord. La plus ancienne université de Suisse (fondée en 1460). 23 musées. Depuis 1470, ville de foires (Foire suisse d'Echantillons). Industries pharmaceutique et chimique importantes.

Basle, View over the Rhine from the Cathedral (14th century)
Alt. 273 m. Pop. 240,000. Switzerland's second largest city. The Rhine connects Basle to the North Sea. Oldest university in Switzerland (founded 1460). 23 museums. Since 1470, a Fair city (Swiss Industry Fair). Important pharmaceutical and chemical industry. Highest point overlooking Basle: St.Chrischona.

Eggiwil im Emmental, Schrattenfluh **BE**
739 m ü.M. Von Bern mit Bahn und Postauto über Konolfingen
und Signau erreichbar. Am Zusammenfluss von Emme und Röthenbach gelegen. Mittelpunkt der zweitgrössten emmentalischen
Gemeinde. Kirche von 1631 mit modernen Glasgemälden. Zahlreiche Wandermöglichkeiten.

Eggiwil en Emmental, Schrattenfluh
A 739 m d'alt. Accessible de Berne par le train et en autobus par
Konolfingen et Signau. Situé au confluent de l'Emme et du Röthenbach. Centre de la deuxième commune de l'Emmental. Eglise de
1631 avec vitraux modernes. Nombreuses possibilités de belles
promenades.

Eggiwil in the Emmental, Schrattenfluh
Alt. 739 m. Accessible from Berne via Konolfingen and Signau by
rail and post bus. At the confluence of the Emme and Röthenbach.
Centre of the second-biggest Emmental administrative district.
Church (1631) with modern stained glass. Numerous possibilities
for walks.

Belpberg, Blick auf Aaretal und Alpen **BE**
890 m ü.M. Hügelzug südlich von Bern, zwischen Aare- und Gür-
betal gelegen. Von Bern mit dem Auto über Belp oder Münsingen–
Wichtrach erreichbar. Auf seiner Südflanke in landschaftlich ein-
zigartiger Lage der Gerzensee. Schöne Wanderung von Belp über
den Belpberg nach Gerzensee, Mühledorf und Kirchdorf.

Belpberg, vue sur la vallée de l'Aar et les Alpes
A 890 m d'alt. Chaîne vallonnée au sud de Berne, entre les vallées
de l'Aar et du Gürbe. Accessible de Berne en auto par Belp ou
Münsingen–Wichtrach. Sur son flanc sud, le lac de Gerzensee
dans un paysage unique. Belles promenades de Belp par le Belpberg vers Gerzensee, Mühledorf et Kirchdorf.

Belpberg, View of the Aare Valley and the Alps
Alt. 890 m. Hill spur south of Berne, between the Aare and Gürbe
valleys. Can be reached by car via Belp or Münsingen–Wichtrach
from Berne. On its south flank is the incomparably situated lake of
Gerzensee. Lovely walk from Belp over the Belpberg to Gerzensee,
Mühledorf and Kirchdorf.

Freiburg, Altstadt **FR**
629 m ü.M. 40000 Einwohner. Gegründet 1157 (Zähringerstadt).
An der Autobahn und Bahnlinie Bern–Genf gelegen. Zweispra-
chig (F/D). Zentrum des Katholizismus in der Schweiz. Universität (1580). Dominierendes Altstadtbild, umgeben von modernen
Wohnvierteln. Kathedrale St. Niklaus: Meisterwerk der Gotik.

Fribourg, la vieille ville
A 629 m d'alt. 40000 habitants. Fondée en 1157. Sur l'autoroute
et la voie ferrée Berne–Genève. Bilingue français/allemand. Centre
du catholicisme en Suisse. Université. Vieille ville entourée de
quartiers modernes. Cathédrale St-Nicolas: chef d'œuvre gothique.
Dans un rayon de 30 km: excursions et sports.

Fribourg, the Old Town
Alt. 629 m. Pop. 40,000. Founded 1157. On the Berne–Geneva
motorway and railway line. Centre of Catholicism in Switzerland.
University. Predominant old-town landscape surrounded by modern residential districts. St. Nicholas Cathedral: Gothic-style ma-
sterpiece. Numerous sport and excursion possibilities.

Jaunpass, Blick gegen Gastlosen (1935 m) **FR**
1509 m ü.M. Verbindung zwischen dem Greyerzerland und dem
Simmental. Von Freiburg über Bulle und Charmey, von Bern über
Thun, Spiez und Boltigen erreichbar. Ideales Familien-Skigebiet.
Im Sommer vielseitige Bergwanderungen und -touren auf gutmar-
kierten Wegen; Reiche Alpenflora.

Le col de Jaun, vue sur les Gastlosen (1935 m)
A 1509 m d'alt. Le col relie la Gruyère au Simmental. Accessible
de Fribourg par Bulle et Charmey, de Berne via Thoune, Spiez et
Boltigen. Région de ski idéale pour la famille. En été, excursions en
montagne et promenades sur des chemins bien balisés. Riche flore
alpestre.

Jaun Pass, looking towards Gastlosen (1935 m)
Alt. 1509 m. Connecting route between the Gruyère region and
the Simmental. Accessible from Fribourg via Bulle and Charmey,
from Berne via Thun, Spiez and Boltigen. Ideal ski area for families. In summer, great variety of mountain hikes and climbs on
well-marked trails; Various alpine flora.

Greyerz **FR**
830 m ü.M. Mittelalterliches Städtchen mit Schloss. Von Freiburg
über Bulle erreichbar. Weltberühmt für seinen Doppelrahm und
seinen Käse. Interessante Schaukäserei. Ausflug mit Auto und
Luftseilbahn auf den Moléson (2002 m). Wassersport auf dem
Greyerzersee (Stausee).

Gruyères
A 830 m d'alt. Petite ville moyenâgeuse avec château. Accessible
par Fribourg via Bulle. Célèbre pour sa crème double et son fromage. Fromagerie intéressante à visiter. Excursion en auto et téléphérique sur le Moléson (2002 m). Sport nautique sur le lac de
Gruyères (lac artificiel).

Gruyères
Alt. 830 m. Small medieval town with castle. Accessible from Fribourg via Bulle. World-famous for its double cream and its cheese.
Interesting exhibition dairy. Excursion by car and aerial cableway
to the Moléson (2002 m). Aquatic sports on Lake of Gruyères (re-
servoir).

Corippo im Val Verzasca

Das charakteristische kleine Dorf – es steht heute unter Heimatschutz – liegt auf einer Terrasse der östlichen Talseite. Die einfachen Bruchsteinhäuser sind mit den typischen Steinplattendächern versehen.

Das wildromantische Verzascatal wird von Locarno leicht mit dem Postauto erreicht. Seine grossartige und eigenwillige Landschaft, im unteren Teil steil und eng, im oberen eben und breit, vermittelt eine Vorstellung von der Gegensätzlichkeit des Tessins. Das weitverzweigte Maggiatal, das liebliche Onsernonetal und das romantische Centovalli sind genauso wie das Val Verzasca Wanderparadiese in einer bezaubernden Berglandschaft.

Corippo dans le Val Verzasca

Ce petit village typique – aujourd'hui sous protection du patrimoine national – s'étend sur une terrasse. Ses maisons de pierres de taille sont couvertes de dalles.

De Locarno, on atteint le Val Verzasca en autobus. Son paysage impressionnant et tout particulier, en bas abrupt et étroit, s'élargit et s'aplanit en montant et fait ressortir les contrastes du Tessin. La vallée de la Maggia aux nombreuses ramifications, le charmant Val Onsernone et le pittoresque Centovalli sont, tout comme le Val Verzasca, un paradis de promenade dans une ravissante région montagneuse.

Corippo in the Verzasca Valley

This typical little village conserved as a Swiss national monument is situated on a terrace on the valley's east side. The simple quarried-stone houses all have the characteristic stone-slab roof.

The untamed, romantic Verzasca Valley can be reached from Locarno by post bus. Its magnificent, unpredictable landscape – steep and narrow in the lower part and flat and broad in the upper part – gives some impression of the contrasts the Ticino can offer.

The sprawling Maggia Valley, the gentle Onsernone Valley and the romantic Centovalley are, like the Verzasca Valley, a hikers' paradise in an enchanting landscape.

Gotthard, altes Hospiz   TI
2108 m ü. M. Sehr alter, schon zur Römerzeit benützter Alpen-übergang. Am Gotthardmassiv entspringen Rhone, Rhein, Reuss und Tessin. Hospiz: früher von Mönchen geleitet, heute Hotel-Restaurant. Meistfrequentierter Eisenbahntunnel und längster Strassentunnel der Welt (16,3 km).

Le St-Gothard, ancien hospice
A 2108 m d'alt. Un des plus anciens passages des Alpes, utilisé déjà sous l'Empire romain. Le Rhône, le Rhin, la Reuss et le Tessin jaillissent du massif du St-Gothard. Hospice dirigé autrefois par des moines, maintenant hôtel-restaurant. Tunnel ferroviaire, tunnel routier le plus long du monde (16,3 km).

Gotthard, Old Hospice
Alt. 2108 m. One of the oldest alpine crossing-points, used as early as Roman times. The rivers Rhone, Rhine, Reuss and Ticino have their sources in the Gotthard massif. Hospice: formerly run by monks, now a hotel-restaurant. World's most used railway tunnel and longest road tunnel (16,3 km).

Hospental, Blick gegen Andermatt   UR
1484 m ü. M. Im hochalpinen Urserental gelegen, an der Gabelung der Gotthard- und der Furkapassstrasse. Barocke Pfarrkirche (1711), Turm der Edlen von Hospental (13. Jh.). Mineralien. Sommer: Bergwandern, Hochgebirgstouren. Winter: Skiabfahrten, Langlaufloipe.

Hospental, vue sur Andermatt
A 1484 m d'alt. Situé dans la vallée haute-alpine d'Urseren, à l'embranchement des routes des cols du St-Gothard et de la Furka. Eglise baroque (1711). Tour des nobles de Hospental (XIIIe s.). Minéraux. En été: excursions, tours en haute montagne; en hiver: ski alpin et ski de fond.

Hospental, looking towards Andermatt
Alt. 1484 m. Situated in the high-alpine Urseren valley, at the fork of the Gotthard and Furka Pass roads. Baroque parish church (1711), tower of the Hospental Nobles (13th century). Minerals. Summer: hill walking, mountaineering. Winter: skiing, cross-country skiing.

San Bernardino, Stausee Sufers   GR
2065 m ü. M. Zu erreichen von Chur via Thusis und das Hinterrheintal oder vom Tessin (Bellinzona) durch das Val Mesolcina (Misox). Am Südportal des Strassentunnels der Ort San Bernardino (1608 m): Ferienort für Sommer (Wandern, Bergtouren) und Winter (Skilauf, Langlauf, Eisbahn).

San Bernardino, lac artificiel de Sufers
A 2065 m d'alt. Accessible par Coire, via Thusis et l'arrière-vallée du Rhin ou du Tessin (Bellinzone) par le Val Mesolcina (Misox). A l'entrée sud du tunnel routier le village de San Bernardino (1608 m): lieu de villégiature en été, promenades, tours; en hiver: ski alpin, ski de fond et patinage.

San Bernardino, Sufers Reservoir
Alt. 2065 m. Access from Chur via Thusis and the Hinter Rhine valley or from the Ticino (Bellinzona) through the Mesolcina (Misox) valley. At the south entrance of the road tunnel is the village of San Bernardino (1608 m): summer (walking, mountaineering) and winter (alpine and cross-country skiing) holiday resort.

Die Glarner Alpen   GL
Von Zürich aus Richtung Chur mit Bahn oder Auto (N 3) zu erreichen. Ausgedehnte Bergwanderungen und Klettertouren. Vielseitige Flora. Öffentliches Sportzentrum in Näfels. Pragelpass (1550 m) nach Schwyz, Klausenpass (1948 m) nach Uri. Braunwald (1256 m): Wintersportort, für Familien geeignet.

Les Alpes glaronnaises
Accessibles de Zurich, direction Coire par le train ou en auto (N 3). Vaste site de promenades et de varappe. Flore diversifiée. Centre sportif public à Näfels. Col du Pragel (1550 m) vers Schwyz, col du Klausen (1948 m) vers Uri. Braunwald (1256 m): station de sport d'hiver familiale.

The Glarner Alps
Accessible from Zurich going towards Chur by rail or road (N 3). Extensive mountain hikes and mountaineering tours. Varied flora. Public sport centre in Näfels. Pragel Pass (1550 m) to Schwyz, Klausen Pass (1948 m) to Uri. Braunwald (1256 m): winter holiday resort, suitable for families.

Sargans mit Schloss   SG
512 m ü. M. Wenig abseits der grossen Verkehrsroute von Zürich nach Graubünden, Liechtenstein und Österreich gelegen. Barocke Pfarrkirche (1708) mit Altarbildern von Deschwanden. Guterhaltene Römerfunde. Zentral gelegener Ausgangspunkt für Ausflüge. Skilauf auf dem Pizol (2849 m) und in den nahen Flumserbergen.

Sargans et son château
A 512 m d'alt. A proximité de l'axe routier Zurich, les Grisons, le Liechtenstein et l'Autriche. Eglise baroque (1708) avec tableaux d'autel de Deschwanden. Fouilles romaines bien conservées. Point de départ de nombreuses excursions. Ski au Pizol (2849 m) et aux Flumserberge.

Sargans with Castle
Alt. 512 m. Just off the main traffic route from Zurich to the Grisons, Liechtenstein and Austria. Baroque parish church (1708): altar paintings by Deschwanden. Well-preserved Roman remains. Central starting place for excursions. Skiing on the Pizol (2849 m) and in the nearby Flums Montains.

Arosa im Schanfigg   GR
1739 m ü. M. Zu erreichen von Chur mit Bahn oder Auto. Zuoberst im Schanfigger Tal gelegen. Alpines Klima, offenes Alpengelände und Tannenwälder. Idealer Ferienort für Sommer und Winter mit zahlreichen Sportangeboten. Geführte Exkursionen, Wildbeobachtung.

Arosa dans le Schanfigg
A 1739 m d'alt. Accessible de Coire par le train ou en auto. Situé dans la cuvette supérieure du Schanfigg. Climat alpin et forêts de sapins. Lieu de vacances idéal en été comme en hiver avec nombreuses possibilités de sport. Excursions organisées, possibilité d'observer le gibier.

Arosa in the Schanfigg Valley
Alt. 1739 m. Accessible by train or car from Chur. Right at the top of the Schanfigg Valley. Alpine climate, open alpine terrain and fir-tree forests. Ideal holiday resort for summer and winter with numerous opportunities for sport. Guided excursions, observation of wild life.

Schloss Tarasp bei Schuls-Vulpera **GR**
1270 m ü. M. Im Unterengadin, auf einer Felskuppe über dem Inn gelegen. Zu erreichen von Chur über den Flüelapass oder mit der Rhätischen Bahn. Heilquellen für Trink- und Badekuren. Viele Möglichkeiten für Sommer- und Wintersport. Schweizerischer Nationalpark (170 km²): prachtvolles Naturschutzgebiet.

Château de Tarasp près de Scuol-Vulpera
A 1270 m d'alt. En Basse-Engadine, situé sur une falaise dominant l'Inn. Accessible de Coire par le col de la Flüela ou par le chemin de fer rhétique. Sources thermales pour cures. Nombreuses possibilités de sport, hiver comme été. Parc national suisse (170 km²): magnifique réserve naturelle.

Tarasp Castle near Schuls-Vulpera
Alt. 1270 m. In the Lower Engadin, perched on a rock above the River Inn. Accessible from Chur via the Flüela Pass or with the Rhaetian Railway. Mineral springs for spa water drink and bathing treatment. Many possibilities for summer and winter sport. Swiss National Park (170 sq.km).

Morteratsch mit Berninagruppe **GR**
1896 m ü. M. An der Berninapassstrasse und -bahnlinie. Piz Bernina (4049 m): höchster Gipfel der Bündner Alpen. Wildbeobachtungen. Bergwanderungen und Hochgebirgstouren. Gletscherwanderung von Diavolezza über die Isola Persa nach Morteratsch. Aussichtspunkt: Muottas Muragl (2453 m) bei Pontresina.

Morteratsch et le massif de la Bernina
A 1896 m d'alt. Par la route et la voie ferrée de la Bernina. Le Piz Bernina (4049 m): point culminant des Alpes grisonnes. Observation de gibier. Promenades et tours en haute montagne et sur le glacier de Diavolezza par l'Isola Persa vers Morteratsch. Vue: Muottas Muragl (2453 m).

Morteratsch with the Bernina Range
Alt. 1896 m. On the Bernina Pass road and railway line. Piz Bernina (4049 m): highest peak in the Grisons Alps. Observation of wild life. Hill walking and mountaineering. Glacier hikes from Diavolezza over the Isola Persa to Morteratsch. Vantage point: Muottas Muragl (2453 m), Pontresina.

Sils im Oberengadin, Piz da la Margna (3159 m) **GR**
1797 m ü. M. In unmittelbarer Nähe der Nordsüdverbindung Julier–Malojapass, zwischen Silvaplaner- und Silsersee gelegen. Ausgezeichnete Wandermöglichkeiten; besonders empfehlenswert: Val Fex, Fuorcla Surlej. Spaziergang zur Halbinsel Chasté (Nietzsche-Gedenkstein). Idealer Wintersportort.

Sils en Haute-Engadine, Piz da la Margna (3159 m)
A 1797 m d'alt. A proximité de la route Julier–Maloja, entre les lacs de Silvaplana et de Sils. Excellentes possibilités de promenade; particulièrement recommandés: Val Fex, Fuorcla Surlej. Promenade sur la presqu'île de Chasté (pierre commémorative de Nietzsche). Sports d'hiver.

Sils in the Upper Engadin, Piz da la Margna (3159 m)
Alt. 1797 m. In the immediate vicinity of the North-South Julier–Maloya Pass route, between the lakes of Silvaplana and Sils. Excellent walking possibilities; especially to be recommended: Val Fex, Fuorcla Surlej. Walk to the Chasté Peninsula (monument to Nietzsche). Ideal winter sport resort.

Maloja mit Silsersee **GR**
1817 m ü. M. An der Quelle des Inn gelegen. Der Pass verbindet das Engadin mit dem italienisch-bündnerischen Bergell. Naturschutzreservat (Gletschermühlen), 45 km Wanderwege, Kletter- und Gletschertouren. Startort des Engadiner Skimarathons. Skilifte, Langlaufloipen.

Maloja avec le lac de Sils
A 1817 m d'alt. Situé à la source de l'Inn. Le col relie l'Engadine et le Bergell grison. Réserve naturelle (marmites glacières), 45 km de chemins pédestres, tours sur les glaciers et varappe. Point de départ du marathon de l'Engadine (ski). Remonte-pentes, ski de fond. Chamois, flore alpine.

Maloya with the Lake of Sils
Alt. 1817 m. At the source of the River Inn. The pass connects Engadin with the Swiss-Italian Bergell. Nature conservation area (pot-holes), 45 km of walking trails, mountaineering and glacier tours. Start of the Engadin Ski Marathon. Ski-lifts, cross-country skiing trails.

Lavertezzo, zweibogige Steinbrücke aus der Römerzeit **TI**
545 m ü. M. Im Verzascatal gelegen. Von Locarno aus mit Privat- oder Postauto zu erreichen. Einzige Barockkirche im Tal. Flussbett mit blankgescheuerten Gneisfelsen und blau-grün schimmernden Wasserbecken. Hübsche Wanderungen und Spaziergänge in die nordöstlichen Seitentäler.

Lavertezzo, pont en pierre à deux arcs de l'époque romaine
A 545 m d'alt. Situé dans la vallée de la Verzasca. Accessible de Locarno en auto ou autobus. Seule église baroque de la vallée. Lit fluvial avec falaises gneisseuses érodées et bassins d'eau d'un bleu turquoise étincelant. Belles promenades dans les vallées latérales au nord-est.

Lavertezzo, Double-arched Roman Stone Bridge
Alt. 545 m. Situated in the Verzasca Valley. Accessible from Locarno by private car or post bus. Only baroque church in the valley. River bed with polished, shining gneiss rocks and blue-green shimmering water pools. Attractive hikes and walks into the lateral valley to the north-east.

Bellinzona, Castello di Montebello (13./14. Jahrhundert) **TI**
227 m ü. M. 17000 Einw. Hauptort des Tessins. An der Nordsüdverbindung des Gotthardpasses, im Zentrum der italienischen Schweiz gelegen. Drei mittelalterliche Burgen beherrschen das Stadtbild. Altstadt mit lombardischem Charakter. Günstiger Ausgangspunkt für Ausflüge in die Tessiner Täler und nach Lugano.

Bellinzone, château de Montebello (XIIIᵉ/XIVᵉ siècles)
A 227 m d'alt. 17000 habitants. Capitale du Tessin. A la jonction nord-sud du St-Gothard, au cœur de la Suisse italienne. Trois châteaux médiévaux dominent la cité. Vieille ville au cachet lombard. Point de départ idéal pour excursions dans les vallées tessinoises et à Lugano.

Bellinzona, Montebello Castle (13th/14th century)
Alt. 227 m. Pop. 17,000. Capital of the Canton Ticino. On the St. Gotthard Pass north-south link in the heart of Italian-speaking Switzerland. Three medieval castles dominate the townscape. Old town with Lombardian character. Starting point for excursions into the valleys of the Ticino and to Lugano.

Ascona, Locarno, Blick Richtung Magadinoebene TI
200 m ü.M. Fremdenverkehrszentren am nördlichen Ende des Langensees, auf dem Maggiadelta gelegen. Mittelmeerklima. Drahtseilbahn von Locarno zur Wallfahrtskirche Madonna del Sasso. Luftseilbahn Orselina–Cardada–Cimetta. Schiffsausflüge zu den Brissago-Inseln und zu den Borromäischen Inseln.

Ascona, Locarno, vue en direction de la plaine de Magadino
A 200 m d'alt. Centres touristiques à l'extrémité nord du lac Majeur, sur le delta de la Maggia. Climat méditerranéen. Funiculaire qui conduit au sanctuaire de la Madonna del Sasso. Téléphérique Orselina–Cardada–Cimetta (1700 m). Excursions en bateau aux îles de Brissago et aux îles Borromées.

Ascona, Locarno, looking towards the Magadino Plain
Alt. 200 m. Tourist centre at the north end of Lake Maggiore, on the delta of the River Maggia. Mediterranean climate. Cable car railway from Locarno to the pilgrimage church Madonna del Sasso. Aerial cableway Orselina–Cardada–Cimetta (1700 m). Boat trips to the Brissago/Borromee Islands.

Lugano, San Salvatore TI
275 m ü.M. An der wichtigsten Nordsüdverbindung, an der Gotthardstrassen- und -bahnlinie gelegen. Mittelmeerklima: Palmen, Kakteen. Gemäldesammlung Thyssen-Bornemisza. Kirche Santa Maria degli Angioli. Drahtseilbahnen auf den Monte Brè (933 m) und auf den San Salvatore (912 m).

Lugano, San Salvatore
A 275 m d'alt. Située au nœud ferroviaire et routier du St-Gothard. Climat méditerranéen: palmiers, cactus. Pinacothèque Thyssen-Bornemisza. Eglise Ste-Marie-des-Anges. Funiculaires sur le Monte Brè (933 m) et le San Salvatore (912 m). Excursions en bateau.

Lugano, San Salvatore
Alt. 275 m. On the most important North-South route, the St. Gotthard road and railway line. Mediterranean climate. Palm trees and cacti. Thyssen-Bornemisza art collection. Church of Santa Maria degli Angioli. Cable-car railways up to the Monte Brè (933 m) and to San Salvatore (912 m).

Abbildungsverzeichnis
Liste des illustrations
List of illustrations

Kantone · Cantons · Cantons

AG	Aargau · Argovie · Aargau	NW	Nidwalden · Nidwald · Nidwald
AI	Appenzell Innerrhoden · Appenzell Rh. I. · Appenzell I. Rh.	OW	Obwalden · Obwald · Obwald
AR	Appenzell Ausserrhoden · Appenzell Rh. E. · Appenzell O. Rh.	SG	St. Gallen · St-Gall · St. Gall
BE	Bern · Berne · Berne	SH	Schaffhausen · Schaffhouse · Schaffhausen
BL	Baselland · Bâle-Campagne · Basle-Landschaft	SO	Solothurn · Soleure · Soleure
BS	Basel-Stadt · Bâle-Ville · Basle-Stadt	SZ	Schwyz · Schwyz · Schwyz
FR	Freiburg · Fribourg · Freiburg	TG	Thurgau · Thurgovie · Thurgau
GE	Genf · Genève · Geneva	TI	Tessin · Tessin · Ticino
GL	Glarus · Glaris · Glarus	UR	Uri · Uri · Uri
GR	Graubünden · Grisons · Grisons	VD	Waadt · Vaud · Vaud
JU	Jura · Jura · Jura	VS	Wallis · Valais · Valais
LU	Luzern · Lucerne · Lucerne	ZG	Zug · Zoug · Zug
NE	Neuenburg · Neuchâtel · Neuchâtel	ZH	Zürich · Zurich · Zurich

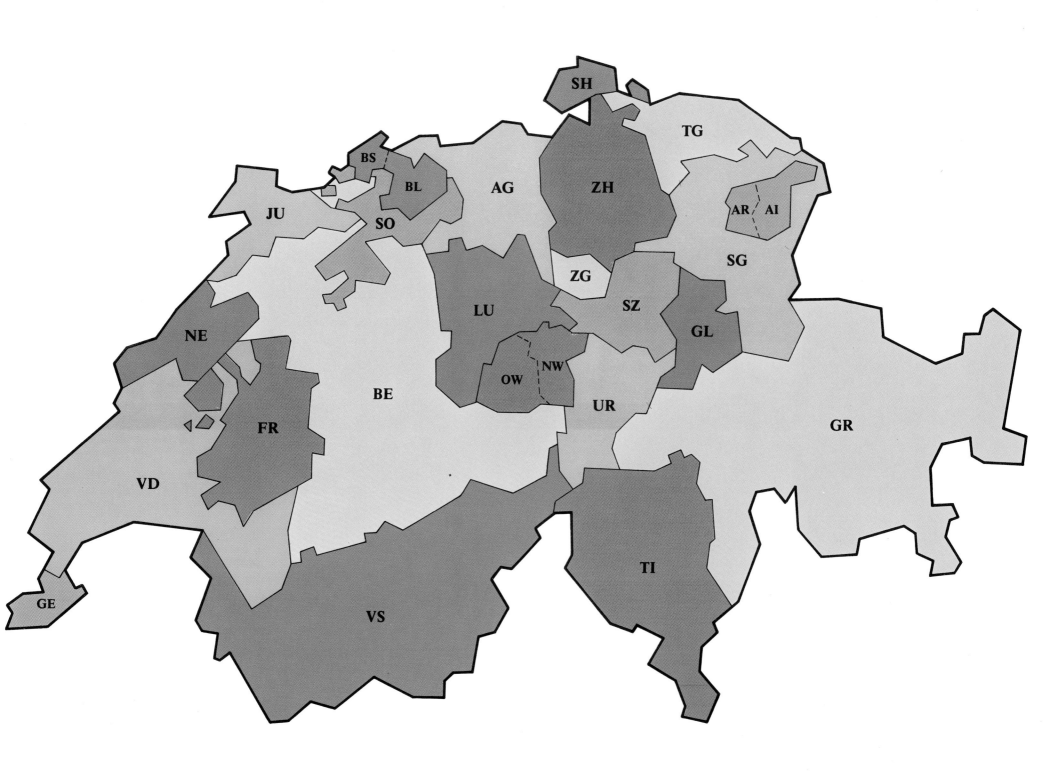

Diese Sonderausgabe wurde ermöglicht
durch Unterstützung von Coop Schweiz